de Bibliotheek

Breda

Alles over mijn
spinnende poes

KLUITMAN

Hoi poes, fijn dat je nu bij mij woont!

Zo lief, zo klein, jullie nieuwe poes. Het is net een harig bolletje wol. Grappig, ondeugend en eigenwijs! Hij wil alles ontdekken. En luisteren? Ho maar. Wen er maar vast aan, want een kat doet gewoon waar hij zelf zin in heeft. Al zijn er wel een paar dingen die je hem kunt leren. Lees maar.

Inhoud

Een mannetjespoes heet een kater, een vrouwtje een poes. In dit boekje hebben we het over katten, hij, hem en zijn. Heb je een poes? Dan doe je net of er poes, zij en haar staat, afgesproken?

Miauuwww...

Op deze pagina kun je een foto
van je kat plakken.

Dit boekje is van ....Ik ben.....jaar.

Dit is mijn adres ....

En dit mijn telefoonnummer...

Mijn kat heet ....

Het is een jongen/meisje ....

Hij is heel bijzonder, want ....

Acrokatisch

Je kat haalt soms acrobatische toeren uit. Klimt een hoge boom in, balanceert op de rand van de dakgoot, springt van een hek... Hoe doet hij dat?

Klauteren, springen, sprinten, sluipen... het hoort allemaal bij de jacht. Je kat moet sneller en leniger zijn dan zijn prooi, anders vangt hij natuurlijk nooit wat. Daarom is hij heel erg lenig. Zijn lichaam lijkt wel van elastiek. Het lijkt sterk op dat van het jachtluipaard. Dat is het snelste zoogdier ter wereld, hij haalt soms wel 110 kilometer per uur! Zó snel is je kat niet, maar hard gaat hij wel. Weet je hoe dat komt? Omdat hij alleen op z'n tenen loopt. Wij mensen gebruiken onze hele voet. En dat schiet niet op.

Ingebouwde schokdempers

Je kat kan ook ver springen. En hoog! Soms wel acht keer zo ver als zijn eigen lengte. En vijf keer zo hoog als zijn eigen hoogte. Hup, zo het dak op. En er weer af. Of van de ene tak op de andere. En hij komt altijd op zijn pootjes terecht! Daarvoor

Tatuuutatuuu

Het komt regelmatig voor dat de brandweer eraan te pas moet komen om een kat te redden uit een boom. Naar boven klimmen ging perfect, maar weer naar beneden? Oeps... even vergeten hoe hoog het was.

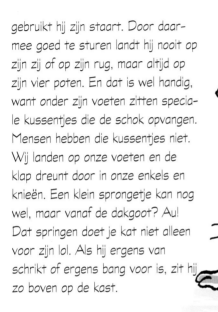

gebruikt hij zijn staart. Door daarmee goed te sturen landt hij nooit op
zijn zij of op zijn rug, maar altijd op
zijn vier poten. En dat is wel handig,
want onder zijn voeten zitten speciale kussentjes die de schok opvangen.
Mensen hebben die kussentjes niet.
Wij landen op onze voeten en de
klap dreunt door in onze enkels en
knieën. Een klein sprongetje kan nog
wel, maar vanaf de dakgoot? Au!
Dat springen doet je kat niet alleen
voor zijn lol. Als hij ergens van
schrikt of ergens bang voor is, zit hij
zo boven op de kast.

**Een kat heeft negen
levens, zeggen mensen
vaak. Omdat hij allerlei
capriolen uithaalt
die wij als mens nooit
zouden overleven.**

Kattenogen
en zo

De zintuigen van katten doen het goed!
Hij ziet als de beste, ruikt prima en hoort
perfect.

Wij hebben een ronde pupil (dat zwarte puntje midden in je oog). Hoe donkerder het is, hoe groter je pupil. Ga maar eens voor de spiegel staan, houd je handen voor je ogen en tel tot tien. Los! Wat zie je? Zo werkt het bij een kat ook. Alleen zijn z'n pupillen niet rond, maar langwerpig. Schijnt de zon, dan zie je smalle streepjes, is het donker, dan zijn de pupillen bijna rond.

Katten zien overdag wel zes keer beter dan mensen. En ook in het donker redden ze zich prima. Dat moet ook wel, want 's nachts gaan ze op jacht. Nu denk je natuurlijk: dat komt door die speciale pupillen. Mis! Heel belangrijk zijn de snorharen. Vergelijk

Vakantie
Ga je op vakantie en gaat je kat een tijdje uit logeren? Doe dan dit boekje bij zijn spullen, want er staan heel veel handige dingen in! Zie ook de tips op pagina 30 en 31.

ze met een soort antennes. Je kat vangt er allerlei belangrijke informatie mee op. Zo voelt hij of er een muis in de buurt is. Zelfs als het 's nachts pikdonker en muisstil is...

Verzorgen

Je moet kattenogen wel goed verzorgen. Als hij troepjes in zijn ooghoeken heeft, kun je ze voorzichtig schoonmaken. Gebruik hiervoor twee gaasjes gedrenkt in (afgekoeld!) gekookt water. Voor elk oog een. Is zijn oog vaak vies? Bel dan even de dierenarts.

Met zijn snorharen en zijn voetkussentjes voelt je kat allerlei trillingen in de lucht en in de aarde. Zo weet hij uren van tevoren dat het gaat onweren. Of dat er storm op komst is.

Gespitste oren

Katten horen als de beste. Wat heel handig is: ze kunnen hun oren draaien. Alle kanten op. Zo vangen ze zelfs heel zachte geluiden op. Aan de stand van de oren kun je trouwens veel aflezen. Als ze plat liggen, voelt hij zich bedreigd of gaat hij aanvallen. Staan ze rechtop? Dan voelt hij zich op z'n gemak. En als ze draaien? Dan hoort hij wat. Psss...

Hoor je een soort snorrend, knorrend geluid? Dat heet 'spinnen'. Dat doet je kat als hij het naar zijn zin heeft.

Ook kattenoren moet je verzorgen. Controleer ze een paar keer per week. Zijn ze vies? Koop dan een speciaal middel bij de dierenwinkel. Gebeurt het vaak? Breng dan een bezoekje aan de dierenarts.

Snuf, snuf

Katten ruiken goed. En dat weten ze van elkaar. Daarom zetten ze geursporen uit. Door met urine te sproeien of met hun lichaam ergens tegenaan te wrijven. Want elke kat heeft zijn eigen, persoonlijke 'parfum'. Op deze manier zeggen ze tegen hun collega-katten: 'Dit is mijn plek. Je kunt maar beter uit de buurt blijven.' Geursporen geven hem bovendien een veilig en vertrouwd gevoel. Want overal waar hij vaak komt, hangt die bekende lucht. In de tuin, in de kattenbak, in de woonkamer... En er zijn geen twee katten die hetzelfde ruiken.
Naast geursporen zetten ze ook krabsporen uit. Door ergens hun scherpe nagels in te zetten. Meer hierover lees je op bladzijde 14.

Katten wrijven graag met hun lichaam tegen
jou aan. Door kopjes te geven. Vaak tegen je
benen. Zo laat hij andere katten weten dat jij
zijn baas bent.

Kampioen luieren

Jij moet naar school, je kat ligt weer languit voor de verwarming te pitten. Ruilen?

Katten zijn nachtdieren. Als jij ligt te dromen in je bed, gaat hij op pad. Naar buiten. Jagen op vogels en muizen. Niet om op te eten, maar gewoon voor de lol. Zorg daarom dat je kat altijd naar buiten (en weer naar binnen!) kan. Een kattenluik in een deur is het handigst. Niets en niemand kan erdoor, behalve jouw kat. Als je er tenminste een neemt die op het signaal van je

Buiten
Er zijn katten die nooit buiten komen en dat helemaal niet erg vinden. Maar als je een kat binnen houdt die gewend is buiten te jagen, wordt hij heel verdrietig en onrustig.

kat reageert. Anders loop je de kans dat andere katten gezellig bij jullie komen buurten.

Slaapkop

Omdat je kat 's nachts zo in de weer is, is hij overdag bekaf. Hij slaapt gerust achttien uur per dag! Liefst op een warm, hoog plekje vanwaar hij de boel goed in de gaten kan houden. Vandaar dat veel kattenmanden eruitzien als vogelhuisjes. Ze staan op poten!

Daar lees je op de volgende pagina's meer over. Niet alle katten kruipen in een mand. De een ligt liever in het zonnetje op de vensterbank, de ander lekker warm voor de radiator of in een hoekje van de bank...

Weet je wat ook een favoriet plekje is voor katten? De trommel van de wasmachine en droger. Voor je het weet... Laat daarom nooit het deurtje openstaan.

Het spoor bijster

Sommige katten komen dagen niet thuis. Ineens duiken ze weer op. Of niet. En dan?

Tijger is weg. Hij is bruin met streepjes en zijn rechter achterpoot is wit. Wie heeft hem gezien? Hoe vaak zie je niet dit soort briefjes. In de supermarkt, aan lantaarnpalen... Ook jouw poes kan er natuurlijk vandoor gaan. Soms gaan ze op roverspad en leggen zo veel kilometers af dat ze de weg naar huis niet meer weten. Daarom is het handig om je kat een halsbandje om te doen met daaraan een identiteitsplaatje. Daarop staan zijn telefoonnummer en adres. Is hij een keer de weg kwijt, dan kan een lieve meneer of mevrouw hem terugbrengen. Koop wel

altijd een veilige halsband, eentje die loslaat als je kat ergens achter blijft haken.

Chips

De dierenarts kan je kat ook 'chippen'. Hij krijgt dan een buisje onder zijn huid. Dat buisje is zo groot als een rijstkorrel, maar er zit heel veel belangrijke informatie over je kat in. Zijn naam, zijn adres, zijn ras en nog veel meer.

Met een speciaal apparaat kan de dierenarts dat allemaal lezen, zonder dat het buisje eruit hoeft! Dus stel dat je weggelopen kat wordt gevonden, dan kan de dierenarts precies achterhalen waar hij woont.

Hoeken en gaten

Katten slapen op de gekste plekken. Sommige kruipen tussen je dekbedhoes.

Als je dan 's avonds in bed wilt kruipen, springt ineens je dekbed op en neer! Andere zijn teruggevonden onder de motorkap van een auto. En wat dacht je van de open haard? Dus ben je je kat kwijt? Zoek dan eerst in alle hoeken en gaten. En pas op dat hij niet op gevaarlijke plekjes kan komen (zie pagina 11).

(zie pagina 11)

Alarm!
Ben je je kat kwijt? Dan kun je een paar dingen doen om hem terug te vinden.
1 Hang briefjes op in de omgeving. Bij winkels, op lantaarnpalen… Liefst met foto, zodat mensen hem herkennen.
2 Bel alle dierenasiels en dierenartsen in de omgeving.
3 Kijk snel op het landelijk meldpunt: www.amivedi.nl

Hobby: krabben

Als je pech hebt, moet de bank eraan geloven, maar meestal werkt een speciale krabpaal goed.

Katten moeten krabben. Zo bakenen ze hun territorium af en houden ze hun nagels scherp en kort. Want als zijn nagels te lang zijn, kan hij niet meer goed in bomen klimmen en over hekjes klauteren. En dat is voor een kat niet handig. Katten die veel buiten zijn, krabben aan bomen.

Maar er zijn natuurlijk dagen waarop hij niet naar buiten kan. Daarom is het slim om binnen een krabpaal neer te zetten. Op een plek waar je kat veel langsloopt. Dat geldt helemaal voor katten die meestal binnen zijn.

Een goede krabpaal:
- staat stabiel.
- is hoog genoeg, zodat je kat zich languit kan uitrekken.
- is bekleed met een ruwe stof waar je kat zijn nagels in kan zetten.

Er zijn kattenmanden op een krabpaal. Zo sla je twee vliegen in één klap. Je kat zit lekker hoog en droog en hij kan zich nog krabben ook.

Hoe leer je je kat nu dat hij aan de paal moet krabben en niet aan de gordijnen? Of aan de nieuwe stoel? Door hem met een plantenspuit te waarschuwen. Krabt hij daar waar het niet mag? Even sproeien en hij kijkt de volgende keer wel uit. Een stukje aluminiumfolie helpt ook. Als je kat dichtbij komt, maakt dat folie een vreselijk geluid. Wedden dat hij niet meer in de buurt komt? Helpt dat ook niet? Koop dan een speciale spray bij de dierenwinkel.

Knip, knip

De nagels van een kat die altijd binnen is, moeten af en toe worden geknipt. Als je ervoor zorgt dat je kat daar als baby al aan went, dan vindt hij het meestal prima als je met de nagelschaar aan komt zetten. Druk zachtjes op zijn teenkussentjes en je ziet de nagels naar buiten komen. Knip dan een ieniemini stukje van zijn nagels af. Echt alleen het puntje, anders doet het zeer.

Je kat vindt het lekker om na het slapen zijn klauwen ergens in te zetten en zich dan helemaal uit te rekken. Als een soort ochtendgymnastiek dus. Ook daarvoor is een krabpaal heel handig. Helemaal als hij dicht bij zijn mand staat.

IJdelsnuit

Je kat is een echte ijdeltuit. Hij wast zichzelf de hele dag door. Met zijn snuit. Zijn tong is er zelfs speciaal voor ontworpen.

In het voorjaar verruilt je kat zijn winterjas voor zijn zomeroutfit. Zijn warme vacht valt dan uit en er komen luchtige haartjes voor terug.
Die periode noemen we 'de rui'.

Bij het wassen gebruikt je kat zijn tong en zijn tanden. Met de scherpe hoektanden verwijdert hij zand, restjes eten, klitten en zelfs vlooien en teken.

Heb je je kat al eens over je arm laten likken? Dat voelt gek, hè? Zijn tong lijkt wel een stukje schuurpapier. Dat komt omdat hij niet alleen likt met zijn tong, maar er ook zijn vacht mee verzorgt. Het is eigenlijk een soort kam. Losse haartjes blijven aan de tong plakken. Je kat spuugt ze niet uit, maar slikt ze gewoon door. Al die haartjes vormen een haarbal in zijn maag. Wordt de bal te groot en krijgt je kat er last van? Dan braakt hij hem vanzelf uit. Meestal eet hij eerst een beetje (katten)gras, dan gaat het spugen makkelijker.

Spiegeltje, spiegeltje

Losse haartjes likt je kat zelf weg. Of je dan ook nog moet kammen of borstelen? Dat hangt van de vacht van je kat af. Lange haren klitten snel. Dus dan is regelmatig kammen wel slim, maar een kortharige kat hoef je niet vaak te kammen. Alleen als hij in de rui is. Dan verliest hij zo veel haren! Als je je kat dan niet kamt, liggen die haren door het hele huis. Of je een borstel of een kam gebruikt, is maar net wat je zelf handig vindt. Bij de dierenwinkel zijn allerlei soorten te koop.

Badderen

Omdat je kat zichzelf zo goed wast, hoef je hem eigenlijk nooit in bad te doen. En dat is maar goed ook, want de meeste katten hebben een hekel aan water. Vaak badderen is ook niet goed voor de vacht van je kat. Zijn vacht is mooi zacht en glanzend. Dat komt door een natuurlijk laagje vet. Als je je kat vaak wast, was je ook dat laagje vet weg.

Poesje mauw...

'Ik heb lekkere melk voor jou...' Wie kent het liedje niet. Maar als je je kat nu iets niét moet geven, is het wel melk!

Koemelk kun je je kat beter niet geven. Daar kan hij diarree van krijgen. Speciale kattenmelk kan wel. En zorg dat er altijd een bakje schoon water voor hem staat.

Je kat eet het liefst vlees en vis. Je kunt kiezen voor brokjes of voor blikvoer. Brokjes zijn droog. Je kat moet daarom genoeg drinken. In blikvoer zit veel water. Maar of je nu voor blikjes of brokjes kiest, je weet zeker dat je kat alles binnenkrijgt wat hij nodig heeft. Vitamines, mineralen, proteïnen en noem maar op. Maar een stukje verse vis of mals rundvlees op zijn tijd is wel heel lekker!

Al die soorten...

Er zijn heel veel soorten en merken kattenvoer te koop. Het maakt niet zo veel uit welk je kiest, als je maar wel goed let op de leeftijd van je kat. Er is speciaal voer voor katjes in de groei, voor volwassen katten en voor opa's en oma's. Als je kat een maand of zes is, dan is hij

Gaaaaap
Als je kat zijn bek opendoet, zie je dat hij puntige snijtanden heeft. Daarmee kan hij zijn prooi goed vasthouden.

volwassen. En vanaf dat moment geef je hem dus ander voer. Hoeveel? Dat hangt van je kat af. De meeste eten twee keer per dag. Rent je kat veel buiten? Dan heeft hij ook veel honger! Hangt hij de hele dag binnen? Dan mag hij best wat minder, anders wordt hij te dik.

Jachtinstinct

Een vogel! Heel voorzichtig sluipt je kat er op af. En dan ineens neemt hij een sprong en fladderen de veertjes in het rond. Met zijn voorpoten heeft je kat het vogeltje gevangen. Soms wordt het vogeltje met veren en al opgepeuzeld, maar vaak is de lol er na het vangen van af. Het was voor je kat alleen maar een leuk spelletje. Om de vogels te waarschuwen kun je je kat een belletje om zijn nek doen. Vooral in de lente, als de jonge vogeltjes uitvliegen, is dat wel handig.

Groenvoer

Je kat knabbelt graag aan gras. Dat doet hij omdat hij dan moet spugen. Niet alleen het gras, maar ook alle haren die hij heeft ingeslikt, komen er dan weer uit. Dat lucht op! Heb je geen gazon? Koop dan kattengras.

Vlees uit blik kun je niet zo lang bewaren. Gooi restjes daarom meteen weg, want als je kat daar de volgende dag weer van eet, kan hij ziek worden.

Opgeruimd staat netjes

Katten zijn schone dieren. Ze plassen en poepen altijd in de kattenbak, als je het ze tenminste leert.

Katten haten viezigheid. Het zijn schone dieren. Als ze buiten poepen of plassen, dan graven ze eerst een holletje. Klaar? Dan dekken ze de viezigheid keurig af met een laagje grond. Er zijn katten die eigenlijk nooit binnen poepen en plassen, maar altijd een plekje buiten in de tuin zoeken, maar of je buren daar zo blij mee zijn?

De meeste katten hebben wel hun eigen wc binnen: de kattenbak.
- Een beetje privacy vindt je kat wel fijn, dus zet de bak op een rustig, donker plekje.
- Zorg dat de kattenbak altijd schoon is, anders denkt je kat: Bekijk het maar. Ik poep wel ergens anders.

Zand erover

Kattenbakkorrels kun je vergelijken met zand. Je kat graaft zijn poep onder de korrels. Welke korrels je kiest is heel belangrijk. Goede korrels:
- slurpen poep en plas op.
- plakken niet aan kattenpoten.
- stuiven niet.
- nemen vieze luchtjes op.

Koop altijd dezelfde kattenbakvulling. Een ander merk ruikt en voelt anders en dat vindt je kat niet fijn. Grote kans dat hij daarom de kattenbak ontwijkt.

Zo pak je je kat op

Als je je kat wilt oppakken om te knuffelen en te aaien, schuif dan je ene hand onder zijn billen en de andere onder zijn buik. Zo zit hij in het kuiltje van je hand zonder dat hij kan vallen. Op deze manier kun je kleine katjes ook voorzichtig in de kattenbak zetten, zodat ze leren daar te plassen en te poepen. Til je kat nooit op aan zijn nekvel. Vroeger dachten mensen dat je een kat zo op moest pakken, maar dat doet hartstikke zeer.

Wist je dat er ook wegwerp-kattenbakken bestaan?

Allee, hop

Een circusdier zal het nooit worden, maar er zijn
wel bepaalde dingen die je je kat kunt leren.

Katten zijn familie van de leeuwen. Die zie je wel eens in het circus. En daarom denken veel mensen dat je een kat veel kunt leren. Nou, dat valt tegen. Een kat is een eigenwijs schepseltje dat gewoon doet waar hij zin in heeft. Je kunt zijn gedrag alleen maar een beetje in goede banen leiden.

Schrik is 'ho'

Wat belangrijk is: zeg 'nee' als je kat iets doet wat niet mag. Luistert hij niet? Zorg dan dat je bij alles wat je kat doet dat niet mag, dezelfde straf gebruikt. Dat kan een straaltje water uit de plantenspuit zijn. Schrik! Of een fluitje. Schrik. Helpt dat nog niet? Probeer dan de ballon-truc eens: Blaas een ballon op en houdt iets

Als je kat zijn neus ergens voor ophaalt, is dat vaak niet voor niets. Grote kans dat het eten een beetje bedorven is. Of dat er iets in zit dat niet gezond voor hem is. Hoe hij dat weet? Door te ruiken, want zijn neus is veel beter dan die van ons. Jij kunt dan hoog of laag springen, hij neemt geen hap. En gelijk heeft hij!

scherps bij de hand. Doet je
kat dat wat niet mag? Knal!
Wedden dat hij het voortaan
wel laat?

Mimiiiii

Uit onderzoek is gebleken
dat katten de 'i' het beste
horen. En dat ze naar
namen met een 'i' het beste
luisteren.

Een veilig gevoel

Raak je kat nooit aan als
je hem straft. Dan durft hij
straks niet meer in je buurt
te komen en dat is niet de
bedoeling. Want bij jou moet
hij zich fijn en veilig voelen.

Stiekem snoepen

Veel katten knabbelen aan
planten. Dat doen ze vooral
als ze veel haren in hun
maag hebben die ze uit willen braken. Dat gaat beter
als ze eerst van planten
eten. Blijkbaar worden ze

er een beetje misselijk van
of zo, waardoor ze moeten
spugen. Maar sommige planten zijn giftig. Daar mag je
kat echt niet van smikkelen.
En dat moet hij leren. Vaak
helpt het al als je kattengras koopt waar je kat wel
van mag eten. Komt hij in de
buurt van een andere plant?
Dan staat gelukkig de plantenspuit klaar voor gebruik...

Zet ook in de tuin plantjes waar je kat veilig van mag snoepen.

Katten en kittens

Babykatjes heten kittens. Van die lieve, zachte, wollige bolletjes. Zo klein, zo schattig.

E en nest kittens. Meestal zijn het er een stuk of vier. Het liefst zou je ze allemaal willen houden, maar dat kan natuurlijk niet. Het is trouwens best veel werk om die kleintjes goed te verzorgen. Daarom is het slim om er van tevoren goed over na te denken of je poes kittens mag krijgen of niet. De dierenarts kan er namelijk ook voor zorgen dat ze geen kinderen krijgt. En dat is eigenlijk veel beter, want er zitten al heel veel katten en kittens in dierenasiels, omdat ze geen baasje hebben dat goed voor ze kan zorgen.

Warm nest

Krijgt je poes jonkies? Zorg dan van tevoren voor een goed huis waar de kittens naartoe kunnen als ze groot genoeg zijn.

In katzwijm

Poezen zijn regelmatig krols. Dat duurt een dag of tien. Ze flirten en lonken er dan lustig op los en halen allerlei capriolen uit om in de smaak te vallen bij de katers. Ze gaan op de grond liggen rollebollen, ze wrijven overal tegenaan, ze geven lieve kopjes en ze miauwen de hele dag (en 's nachts) door. Heel hard! Hebben de dames succes? Dan gaan ze met de katers vrijen en dikke kans dat je een week of negen later een nest jonge katten hebt. Wil je dat niet, dan kun je je poes laten steriliseren. Je poes kan daarna geen

kittens meer krijgen. Heb je geen poes, maar een kater? Ook dan kan de dierenarts zorgen dat hij poezen niet zwanger kan maken. Dan zijn de poezen in de buurt veilig.

Als poezen krols zijn, ruiken ze heel speciaal. En van dat luchtje worden de meeste katers meteen smoorverliefd.

Ik voel me niet zo lekker

Ook je kat is wel eens ziek. Maar wanneer moet je naar de dierenarts?

Er zijn een heleboel kwaaltjes die vanzelf overgaan. Of waarvoor je bij de dierenwinkel een middeltje kunt halen. Vieze ogen en oren bijvoorbeeld. Als er echt iets aan de hand is, merk je dat aan je kat. Omdat hij zich anders gedraagt dan anders. Of omdat zijn lijfje het signaal 'ik moet naar de dokter' geeft. Een gezonde kat:

- heeft een glanzende, volle vacht.
- is actief en nieuwsgierig.
- heeft stralende, schone, glinsterende ogen.
- is gespierd en stevig. Zijn lichaam is niet te dik en niet te dun.
- heeft een schone, vochtige, glimmende neus.
- heeft schone oren, die niet stinken.
- stinkt niet uit zijn bek, heeft witte tanden, roze tandvlees en een roze tong.
- heeft schone billen.

Het is slim om je kat elke dag even op schoot te nemen en hem te onderzoeken. Even gluren in zijn oren, in zijn bek, onder zijn staart, naar zijn klauwen... Zijn zijn nagels niet te lang? En heeft hij geen teek op zijn kop? Als je hem tussendoor knuffelt, vindt hij zo'n onderzoek

Luikje dicht

Je kat heeft een extra ooglid. Normaal zie je dat niet, maar zit er ineens een wit, melkachtig vliesje voor z'n oog? Ga dan naar de dierenarts. Want als katten ziek zijn, trekken ze dat derde ooglid over hun oog. Zo van 'laat mij maar met rust, ik voel me niet zo lekker.'

helemaal niet erg. Ontdek je iets
wat je niet helemaal vertrouwt?
Bel dan even de dierenarts.

Op naar de dierenarts

Moet je kat naar de dierenarts,
zorg dan voor veilig vervoer.
In een mand of een kooi. Bij de
dierenwinkel zijn allerlei soorten
te koop.
In zo'n mand kan je kat mee in
de auto of op de fiets.

Prik

Je kat krijgt regelmatig
een prik. Zo blijft hij
gezond. De eerste prik
krijgt hij al als hij een
week of acht is. Als het
goed is worden alle inen-
tingen die je kat krijgt,
bijgehouden in een spe-
ciaal boekje. Neem dat
boekje altijd mee als je
naar de dierenarts gaat.

Wist je dat een kat
gemiddeld 14 jaar oud
wordt? Maar er zijn er ook
die wel 20 jaar worden!

Kriebelbeestjes

Hoe goed je je kat ook verzorgt: af en toe springt er wel eens een vlo op hem. En dan? Over beestjes in én op je kat.

Beestjes zijn dol op katten. Vlooien springen op zijn vacht, maar er zijn ook beestjes die in zijn darmen leven.

Kriebel, krabbel

Vlooien? Het begint met een héél klein kriebelbeestje, maar voor je het weet, heb je een plaag. En krabt je kat zich helemaal gek. Dat moet je dus zien te voorkomen. Hoe? Daar zijn allerlei middeltjes voor, zoals een vlooienband om zijn nek, druppeltjes voor in zijn vacht en pilletjes die je door zijn eten moet doen. Koop nooit zomaar een middel, maar overleg altijd met je dierenarts. Hij kan je precies vertellen wat bij jouw kat het beste werkt. Ook bij de dierenwinkel weten ze alles over vlooien.

Weg wormen

Je kat kan ook last krijgen van wormen. Die zitten in zijn darmen en da's

Het is slim om je kat regelmatig te kammen met een speciale vlooienkam. Zo'n kam 'vangt' vlooien. Vind je er een? Actie!

geen pretje. Je kat wordt mager, hij krijgt diarree en soms zit er zelfs bloed in zijn poep. Gelukkig zijn wormen snel en makkelijk te voorkomen: geef je kat 2 à 3 keer per jaar een speciale wormenkuur en hij heeft nergens last van. Hij krijgt dan een pilletje waar de wormen dood van gaan en klaar.

Vakantievlooien

Ga je op vakantie? Dan is het heel belangrijk om goed te stofzuigen voor je weggaat. Vergeet niet om de stofzuigerzak weg te gooien, anders kruipen de vlooien er gewoon weer uit. En wat ook belangrijk is: sprayen. Niet je kat, maar je huis. Met een speciaal middel. Lees wel heel goed de gebruiksaan-wijzing, want het is giftig. Zeker geen klusje voor kids dus! Zet de ramen goed open en vergeet je niet je speelgoed op te rui-men voor je moeder gaat sprayen?

Op de volgende bladzijde lees je meer over katten en vakantie.

Teken

Teken zijn grijze beestjes die zich met een soort weerhaakjes in de huid vastzetten. En probeer ze dan maar eens los te krijgen. Meestal doet je kat dat zelf met zijn scherpe tanden. Hij peutert net zo lang tot de teek eruit is. Maar teken zijn ook niet gek. Ze zitten vaak op de kop van je kat of ergens anders waar je kat niet bij kan. Dan heb je een speciale tekenpincet nodig. Die koop je bij de dierenwinkel. Er zit een gebruiksaanwijzing bij waar precies op staat hoe je de teek stap voor stap verwijdert. Lukt dat niet, ga dan even naar de dierenarts. Die 'wipt' de teek er zo uit.

Wist je dat een kat met wormen ook vaak vlooien heeft? Daarom moeten katten met vlooien ook altijd worden ontwormd.

Eén vlo kan wel 20 eitjes per dag leggen.

Logeerpartijte

Jij gaat op vakantie. Leuk! Maar waar gaat je kat naartoe?

En kat is een huisdier. En wat voor een. In een ander huis, raakt hij vaak helemaal van slag. Daarom is het niet zo handig om je kat mee te nemen op vakantie. Al zijn er ook wel katten die zich in de caravan helemaal thuisvoelen.

Gaat jouw kat niet mee, dan kun je vragen of de buren voor hem willen zorgen. Op die manier kan je kat in zijn eigen vertrouwde omgeving blijven en dat vindt hij het allerfijnst. Zijn oppassers moeten hem dan eten en drinken geven, en natuurlijk ook de kattenbak schoonmaken. Misschien ken je wel iemand die op jullie huis en op de kat wil passen, zolang jullie weg zijn? Niet? Dan kan je kat ook naar een dierenpension. Op internet vind je allerlei adressen bij jou in de buurt. 'Google' gewoon 'dierenpension' plus je woonplaats en er verschijnt een hele lijst. Vraag of je een keer langs mag komen om te kijken. Jij weet het beste of je kat zich er thuis zal voelen of niet. Regel wel ver van tevoren een plek,

Ik ga op reis en neem mee…

…het gezondheidsboekje, de inentingspapieren en natuurlijk jullie vakantieadressen, het telefoonnummer waar je te bereiken bent. Vergeet ook de chipkaart niet als je kat is gechipt.

want de meeste pensions zitten in de schoolvakanties bomvol. Er zijn ook pensions speciaal voor katten. Dat is helemaal perfect.

Wereldreizigers

Katten op reis krijgen vaak last van heimwee. Ze lopen soms honderden kilometers terug naar huis. Hoe ze de weg terugvinden? Dat weet niemand. Zo is er een verhaal bekend van een kat die per ongeluk in een vrachtwagen kroop. De chauffeur reed weg en toen de kat wakker werd, was hij kilometers van huis. Maar drie weken later stond hij ineens weer op de stoep. Wat waren zijn baasjes blij!

Poesproof?
Als je een pension gaat bekijken, kun je hierop letten:
- Kan je poes er buiten spelen?
- Heeft hij zijn eigen kattenbak?
- Hoe vaak wordt die schoongemaakt?
- Mag hij eten wat hij gewend is?
- Zijn de andere katten ook ingeënt?
- Is het pension mooi schoon?
- Zijn de hokken groot genoeg?
- Kan mijn kat niet ontsnappen?

Nur 223 / LP090701
© Uitgeverij Kluitman Alkmaar B.V.
© MMVII tekst: Monique Hoeksma
Concept, vorm & realisatie: Jos Noijen / DN30

www.kluitman.nl